Harriet Muncaster
Mirabella Hexenfee
bricht die Regeln

Harriet Muncaster

Mirabella Hexenfee
bricht die Regeln

Aus dem Englischen übersetzt
von Tamara Reisinger

 BAND 2

*Illustriert von Mike Love, basierend auf
den Illustrationen von Harriet Muncaster*

ISBN 978-3-7432-1368-5
1. Auflage 2024
Erschienen unter dem Originaltitel *Mirabelle Breaks the Rules*
Copyright © Harriet Muncaster 2021
Mirabelle Breaks the Rules was originally published in English in 2021.
This translation is published by arrangement with Oxford University Press.
Für die deutschsprachige Ausgabe © 2024 Loewe Verlag GmbH,
Bühlstraße 4, D-95463 Bindlach
Aus dem Englischen übersetzt von Tamara Reisinger
Umschlaggestaltung: Michael Dietrich
Druck und Bindung: DRUK - INTRO S.A.,
Swietokrzyska 32, 88-100 Inowroclaw, POLEN

www.loewe-verlag.de

Fünf Gründe, warum ihr Mirabella lieben werdet ...

Mirabella ist hexenhaft magisch und treibt gern Unfug!

Mirabella ist halb Hexe, halb Fee und hat es faustdick hinter den Ohren!

Sie braut unglaublich gern Hexentränke in ihrem Reisehexenkessel!

Mirabella versprüht einen Funken Unfug, egal, wo sie hingeht!

Sie hat ein kleines Drachenmädchen namens Violetta als hexisches Haustier!

Wenn ihr mit einem Besen überall hinfliegen könntet, wohin würdet ihr fliegen?

Ich würde an den Strand fliegen, dort ein bisschen spielen und dann wieder nach Hause gehen.

Ich würde in andere Länder reisen, die ich noch nie gesehen habe.

Ins Zuckerwatteland.

Dorthin, wo es Feen, Meerjungfrauen und Einhörner gibt – in eine magische Welt, in der alles möglich ist.

In den Dschungel, wo die Faultiere leben.

Ich würde in die Einhorn-Schule fliegen.

FAMILIENSTAMMBAUM

MEINE MAMA
Serafina Zauberstern

MEIN BRUDER
Wilbur Zauberstern

EINS

Heute war der erste Tag des neuen Schuljahrs an der Hexenschule und ich war früh wach, noch vor allen anderen in meiner Familie.

„Machen wir Frühstück für alle", sagte ich zu meinem Hausdrachenmädchen Violetta, das neben meinem Ohr in der Luft flatterte. „Das wird eine schöne Überraschung!"

Violetta stieß
ein kleines Schnau-
ben aus und aus ihrer
Schnauze schossen violette
Flammen. Hastig schlug ich sie
mit einem Geschirrtuch weg. Mama
ist sehr streng, wenn es um Brandflecken im
Haus geht.

Ich stellte Schüsseln und Teller auf den Tisch
und gab zwei Scheiben Brot für Mama in den
Toaster. Meine Familie mag ganz unterschiedliche Sachen zum Frühstück. Meine Mama ist
eine Hexe und isst alle möglichen fürchterlichen
Dinge. Am liebsten hat sie mit Spinnen belegtes
Toastbrot. Mein Papa hingegen ist eine Fee. Er
isst unglaublich gern Blütennektar-Joghurt und
ganz viel grünen Salat. Feen lieben die Natur!

Das Toastbrot sprang aus dem Toaster heraus und ich griff nach Mamas Glas voll knuspriger Spinnen.

„Igitt!", sagte ich, während ich eine Handvoll davon auf das Brot fallen ließ.

Als Nächstes gab ich etwas Joghurt und Blütenblätter in eine Schüssel für Papa. Erst dann machte ich mich an das Frühstück für Wilbur und mich. Wilbur ist eine Halbfee, genau wie ich, nur dass er es nicht zugeben will. Er besteht meistens darauf, dass er ein voller Zauberer ist. Mich stört meine Feenseite nicht so sehr, aber ich fühle mich auf jeden Fall mehr wie eine Hexe! Deshalb habe ich mich auch dazu entschieden, auf *Frau Spindelwolles Hexenschule für Mädchen* zu gehen.

Als ich gerade Butter auf Wilburs Toastbrot strich, wurde mein Blick immer wieder von Mamas Spinnenglas angezogen, das auf dem Küchentresen stand. Eine fiese Idee machte sich in meinem Kopf breit.

„Geh weg!", sagte ich zu der Idee.

Aber sie wollte nicht weggehen. Meine Zehen
fingen bei dem Gedanken an Unfug an, heftig zu
kribbeln.

Ich zog Mamas Spinnenglas
zu mir und holte mit einer Gabel
nur ein einziges kleines knusp-
riges Krabbelvieh heraus. Ich
ließ es auf Wilburs Toast fallen
und schmierte schnell ganz viel
Marmelade darüber. Er würde es erst bemerken,
wenn er das Knuspern in seinem Mund spürte!
Ich kicherte bei der Vorstellung daran, wie er die
Spinne entdeckte. Wir beide hassten Hexenessen
über alles.

„Frühstück ist fertig!", rief ich die Treppe nach
oben.

✦ ✦ ✦

„Wie aufmerksam von dir, für alle Frühstück zu machen, Mirabella", lobte Papa, während er den Löffel in seinen Rosenblüten-Joghurt tauchte.

Ich lächelte zuckersüß und beobachtete Wilbur aus dem Augenwinkel.

„Ich hoffe, das ist ein kleiner Vorgeschmack auf die Zukunft!", sagte Mama.

„Wie meinst du das?", fragte ich.

„Nun, heute ist der erste Tag des neuen Schuljahrs", sagte Mama. „Ich hoffe, du beginnst es so, wie du es auch fortführen willst! Ich will dieses Jahr nicht von deiner Lehrerin hören, dass du schon wieder Unfug getrieben hast."

„Oh", sagte ich und meine Wangen wurden warm.

Wilbur biss genüsslich in seinen Marmeladentoast.

Knirsch.

Ich schluckte. Mama runzelte die Stirn. Wilbur hörte kurz auf zu kauen und dann wich sämtliche Farbe aus seinem Gesicht. Er spuckte den Bissen auf seinen Teller und starrte entsetzt auf die Spinnenbeine, die darin zu entdecken waren.

„MIRABELLA!", brüllte er wütend. Dann hob er den halb gekauten Bissen mit der Spinne hoch und warf ihn nach

mir. Ich schaffte es gerade noch, mich rechtzeitig zu ducken!

„Mirabella!", rief Mama. Ihre Augen funkelten beinahe schwarz, wie immer, wenn sie wütend wurde. Aber ihre Mundwinkel zuckten leicht. Meine Mama hat genau wie ich eine unartige Seite, auch wenn sie ihr Bestes gab, um sie zu verstecken.

„Tut mir leid", flüsterte ich, aber es fiel mir schwer, die Worte auszusprechen, weil ich mir das Lachen so sehr verkneifen musste. Papa wirkte ehrlich enttäuscht, während er besorgt seinen Joghurt umrührte.

„Ich hoffe, du hast keine

Spinnen in MEIN Frühstück getan!", sagte er. „Du weißt, dass ich Vegetarier bin! Das ist wirklich ein beschämendes Verhalten, Mirabella. Ich erwarte dieses Jahr an der Hexenschule Besseres von dir."

Um halb neun standen Wilbur und ich fertig angezogen mit unseren Besen vor der Haustür.

„Habt einen wunderschönen ersten Schultag!", sagte Mama, als sie uns beiden einen Abschiedskuss gab.

„Und denkt daran, euch zu benehmen", sagte Papa.

„Ich benehme mich immer!", sagte Wilbur empört.

„Ich rede auch nicht mit dir", meinte Papa und sah mich eindringlich an.

ZWEI

Wilbur und ich stiegen auf unsere Besen und flogen Seite an Seite über unsere Heimatstadt. Es war ein nebliger Morgen und es fühlte sich einfach wundervoll an, an der frischen Luft zu sein und hoch am Himmel herumzuzischen.
Am Stadtrand trennten wir uns, da wir in unterschiedliche Richtungen mussten.

„Tschüss, Wilbur!", rief ich, als er im Nebel verschwand. „Viel Spaß auf der Zaubererschule!"

„Bis später", sagte Wilbur, aber er klang nicht ganz so fröhlich wie sonst. Er war offenbar immer noch wütend wegen der Spinne auf seinem Toast.

Es war ziemlich windig. Daher zog ich meinen

Hexenhut, der in der Schule Vorschrift war, tiefer über meine Stirn und hielt Violetta fest an mich gepresst, während ich auf den dichten, dunklen Wald zuflog. Schon bald tauchte *Frau Spindelwolles Hexenschule für Mädchen* zwischen den Bäumen auf – ein großes graues Gebäude mit mehreren Turmspitzen, die aussahen wie große Hexenhüte. Jetzt gerade waren sie jedoch in einer dichten Nebelbank verborgen. Ich entdeckte andere Junghexen, die auf ihren Besen aus allen Richtungen angeflogen kamen. Ein angenehmer Schauer lief mir über den Rücken. Ich LIEBE meine Hexenschule. Ich bin jeden Morgen nervös und aufgeregt – und das gleichzeitig! Ich lenkte meinen Besen zum Schulhof unter mir und landete mit einem Rums schlitternd auf dem schwarzen Asphalt. Da hörte ich meinen Namen: „Mirabella!" Als ich mich umdrehte, entdeckte ich meine beste Freundin Karlotta, die auf mich zurannte. Ihr schwarzes Kätzchen Mitternacht flitzte ihr hinterher.

„Ich hab dich in den Ferien so vermisst!", sagte sie und umarmte mich fest.

„Ich hab dich auch vermisst!", sagte ich. „Es war so langweilig ohne dich! Wie waren deine Ferien im Hexenhotel?"

„Oh, na ja ... Es war eigentlich richtig magisch", gab Karlotta zu. „Schade, dass du nicht mitkommen konntest. Es war so weit weg, dass wir in ein *Flugzeug* steigen mussten, um dorthin zu kommen. Das Hotel war in den Bergen. Es gab einen blubbernden Hexenkessel-Whirlpool und so viele Hexenleckereien, wie man nur essen kann!"

Ich rümpfte die Nase bei dieser Vorstellung und umklammerte meine Brotdose fester. Hexenessen schmeckte ekelhaft und ich hatte deshalb immer mein eigenes Mittagessen von zu Hause dabei.

„Ich hab dir sogar etwas mitgebracht!", sagte Karlotta und kramte in ihrer Schultasche herum. Kurz darauf zog sie ein kleines Hexentrankfläschchen mit einem glitzernden, schillernden Pulver hervor.

„Ich hab es aus einem Souvenirladen", erzählte sie. „Du sammelst doch hübsche Hexentrankfläschchen."

„Wow!", rief ich. „Danke!" Ich drehte das Fläschchen in meinen Händen und staunte über den funkelnden Staub darin. Er schimmerte in allen Farben des Regenbogens.

„Was kann man damit machen?", fragte ich.

„Ich bin mir nicht sicher", sagte Karlotta. „Das Etikett ist in einer anderen Sprache. Aber vorn ist ein Bild von Rapunzel drauf, schau mal! Daher dachte ich, dass es vielleicht etwas mit Haaren zu tun hat!"

„Vielleicht kann man damit Haare ganz lang wachsen lassen!", sagte ich aufgeregt.

„Oder die Farbe verändern!", schlug Karlotta vor. „Aber du solltest es lieber deiner Mama zeigen, bevor du es benutzt. Ich wette, sie weiß, wofür das Pulver ist. Sie ist immerhin eine wahre Expertin für Hexentränke, oder?"

Ich nickte. Mama und Papa haben ihr eigenes Schönheitsunternehmen und stellen Gesichtscremes, Parfüms und Lippenstifte her. Mama kann viele Stunden in ihrem Hexenturm verbringen und mit Zutaten experimentieren. Papa

kontrolliert, dass sie nur natürliche
Zutaten verwendet, bevor er am
Ende seinen besonderen Feenzauber
dazugibt.

„Versteck es lieber!", zischte
Karlotta plötzlich, und als ich
den Kopf hob, entdeckte ich
unsere Lehrerin, Frau Spindelwolle , die auf uns zukam. Ich
schob das Fläschchen in meine
Rocktasche und versuchte,
unschuldig auszusehen. Es
ist verboten, magische
Zutaten von zu Hause mitzubringen. Wenn wir es
doch tun, sollen wir sie vor der ersten Stunde
abgeben.

„Guten Morgen, Junghexen!", begrüßte uns

Frau Spindelwolle und blickte auf Violetta hinunter, die auf meiner Schulter saß. Sie war nicht besonders begeistert von Violetta, seit sie

letztes Jahr aus Versehen ein Loch in das Klassen-
buch gebrannt hatte. Aber es war nicht ihre
Schuld. Sie war einfach nur aufgeregt gewesen.

„Guten Morgen, Frau Spindelwolle", sagte ich,
während meine Hände ganz feucht wurden. Frau
Spindelwolle ist sehr streng und sie kann auch
ein bisschen Furcht einflößend sein, wenn sie
verärgert ist. Sie ist groß und dünn und hat lange,
glatte violette Haare, ein kantiges Kinn und eine
sehr spitze Nase. Ihre spitze Nase steckt sie am
allerliebsten *überall* hinein, ganz egal, worum es
geht.

„Ich hoffe sehr, dass ihr beide euch dieses
Jahr besser benehmen werdet", sagte Frau
Spindelwolle und starrte Karlotta und mich
eindringlich an. „Keine Streiche mehr im
Klassenzimmer."

„Keine Streiche im Klassenzimmer!", sagte Karlotta.

„Wir versprechen es!", fügte ich hinzu. Und in diesem Moment, während Frau Spindelwolle drohend über uns aufragte, meinte ich es auch ehrlich.

DREI

In der ersten Stunde hatten wir Hexentränke. Mein Lieblingsfach! Aufgeregt sah ich zu, wie Frau Spindelwolle jeder Zweiergruppe im Raum einen nagelneuen Hexenkessel gab. Diese waren viel größer als die Babykessel, die wir letztes Jahr benutzen durften. Ich steckte meinen Kopf in den Kessel von Karlotta und mir und verschwand in der samtigen Schwärze darin.

„Kannst du mich höööören?", fragte ich. Meine Stimme klang ganz seltsam und hallend, als sie von den Innenwänden zurückgeworfen wurde.

„Kopf aus dem Kessel, Mirabella!", blaffte Frau Spindelwolle im Vorbeigehen. Ich zog schnell meinen Kopf heraus und sah zu Karlotta, die versuchte, nicht zu lachen.

„Mirabella!", flüsterte Karlotta. „Wir müssen wirklich versuchen, uns dieses Jahr zu benehmen. Wir haben es versprochen!"

„Ich weiß", meinte ich. „Tut mir leid. Ich hab's vergessen! Ich geb mir ab jetzt mehr Mühe."

„Also gut!", sagte Frau Spindelwolle, die nun wieder vor der Klasse stand. „Heute lernen wir, wie man einen Hexentrank braut, der Farben verändert."

„Uuuh", ging es durch die Klasse.

„Wenn ihr den Trank richtig braut", erklärte Frau Spindelwolle, „dann solltet ihr die Farbe dieser Rose mit nur einem Tropfen eures Tranks verändern können." Sie hob eine Vase mit einer roten Rose hoch, die auf ihrem Tisch stand.

„Sobald euer Trank fertig ist, kommt ihr zu mir und gebt der Reihe nach einen Tropfen davon auf diese Rose. Je stärker ihr die Farbe verändern könnt, desto besser wird auch eure Note."

Sie stellte die Vase sanft zurück auf den Tisch.

„Schlagt euer Hexenbuch auf Seite siebenundachtzig auf und fangt an!"

Das Rascheln von Seiten erfüllte das Klassenzimmer, als alle ihr Hexenbuch aufschlugen.

„Das sieht gar nicht so schwierig aus", sagte Karlotta.

„Ich hole die Zutaten aus dem Schrank", sagte ich und sprang von meinem Stuhl auf, um zu dem großen Vorratsschrank zu rennen, in dem alle Zutaten in Gläsern und Fläschchen aufbewahrt wurden. Ich musste ein bisschen warten, da alle anderen auch ihre Zutaten zusammensuchten. Aber schließlich schaffte ich es, mich zwischen ihnen nach vorn zu drängen und alles zu holen, was wir brauchten. Es waren so viele kleine Fläschchen, dass ich ein paar davon in meine Taschen stecken musste, um sie zu unserem Tisch zurücktragen zu können. In der Zwischenzeit hatte Frau Spindelwolle das Licht ausgemacht und zündete Kerzen im Raum an.

„Für die richtige Atmosphäre", erklärte sie. „Hexenmagie funktioniert am besten, wenn man ein bisschen für Stimmung sorgt."

„Ich glaube, Hexenmagie funktioniert am besten, wenn man auch sieht, was man tut", flüsterte Karlotta, die angestrengt versuchte, die nun kaum lesbaren Wörter im Hexenbuch zu entziffern.

Wir fingen an, unseren Hexentrank zu brauen, und warfen ein bisschen was von diesem und dann einen Tropfen von jenem hinein. Dabei achteten wir sorgfältig darauf, sämtliche Zutaten ganz

genau auf einer altmodischen Waagschale abzuwiegen.

„Bis jetzt sieht alles richtig aus", sagte Karlotta, als wir beide einen Blick in den Kessel warfen. „Hübsch und blubbernd!"

„Wir brauchen noch ein ganzes Fläschchen Einhornstaub, dann ist der Trank fertig", sagte ich, nachdem ich die letzte Zutat im Hexenbuch gelesen hatte. Ich hob ein kleines Fläschchen mit schimmerndem regenbogenfarbenen Staub

hoch und schüttete ihn zur Gänze in den Kessel.

„Perfekt!", rief Karlotta und wir grinsten uns im Kerzenlicht an. Unser Hexentrank begann, vor unseren Augen zu sprudeln und zu schäumen, und kleine Funken stiegen in die Luft.

„Soll es so sprudeln?", fragte ich nach einer Weile. „Im Hexenbuch steht nichts davon."

„Das gehört bestimmt so", meinte Karlotta. „Lass uns ein bisschen was in ein Fläschchen abfüllen,

damit wir den Trank an der Rose testen können! Das steht hier auch."

Ich starrte mit zusammengekniffenen Augen auf die Anleitung.

„Nimm ein Glasfläschchen und fülle eine kleine Menge von dem grünen Trank hinein", las ich laut vor. Dann runzelte ich die Stirn.

„Karlotta", sagte ich. „Unser Trank ist nicht grün. Er ist violett!"

„Was?", fragte Karlotta und schaute in den Kessel. „Er sieht wahrscheinlich nur im Kerzenlicht violett aus."

„Nein", widersprach ich ihr. „Er ist definitiv violett!"

Wir wichen beide zurück, als unser Hexentrank noch viel heftiger sprudelte und schäumte. Dann lief er über und spritzte auf den Tisch. Karlotta starrte mich mit großen Augen an.

„Mirabella", flüsterte sie. „Ich glaube, du hast einen Fehler gemacht."

„Ich!?", rief ich empört. „Wie soll ich einen Fehler gemacht haben? Wir haben die Anleitung befolgt!"

Karlotta zeigte auf das leere Fläschchen mit

Einhornstaub, das auf dem Tisch stand. „Das ist das Fläschchen, das ich dir aus dem Hexenhotel mitgebracht habe!"

„Das kann nicht sein!", sagte ich, griff in meine Tasche und zog ein sehr ähnliches Fläschchen mit der Aufschrift „Einhorn-Horn" heraus. Ich starrte es entsetzt an und mein Herz schlug auf einmal sehr schnell.

„Sie müssen in deiner Tasche durcheinandergeraten sein, als du die Zutaten zurück zum Tisch getragen hast!", sagte Karlotta. „Oh, Mirabella! Was sollen wir nur tun?"

„Ich weiß es nicht!", flüsterte ich fast schon panisch.

Wir wichen einen weiteren Schritt vom Kessel zurück, als der Hexentrank noch heftiger sprudelte und schäumte und Blubberblasen voll violettem Schleim durch den ganzen Raum spuckte.

„O nein! O nein!", rief ich. „Das ist nicht gut, Karlotta!" Der Trank spritzte überallhin. Er spritzte so weit, dass er auf den Köpfen der anderen Hexen im Raum landete. Sogar auf Frau Spindelwolle. Ein paar Tropfen landeten auf ihrem Kopf und sie sah von ihrem Tisch auf.

„WAS ist hier los?", schimpfte sie und

wischte sich den Hexentrank aus den Haaren. Dann entdeckte sie unseren Kessel, der bebte und ächzte und zischte. Ihre Augenbrauen schossen so weit in die Höhe, dass sie fast unter ihren Haaren verschwanden. Sie sprang von ihrem Stuhl auf und zeigte zur Tür.

„ALLE RAUS HIER!"

Auf einmal herrschte Chaos. Sämtliche Hexen und ihre hexenhaften Tiere stürzten zur Tür, warfen Stühle und Kessel um, während sie versuchten, dem blubbernden, zischenden Hexentrank auszuweichen, der nun so heftig sprudelte und schäumte, dass der ganze Kessel vibrierte.

Bevor die erste meiner Mitschülerinnen die Tür erreichte, gab es ein mächtiges Rums. Es blitzte violett auf und dann roch es nach Lavendelshampoo. Ein Schwall Hexentrank landete auf mir und ich schloss fest die Augen. Als ich sie wieder öffnete, sah ich, dass unser Kessel in der Mitte entzweigebrochen war. Wir starrten uns entsetzt an. Alles und jeder im Klassenzimmer war mit violettem Hexentrank vollgespritzt und alle Kerzen

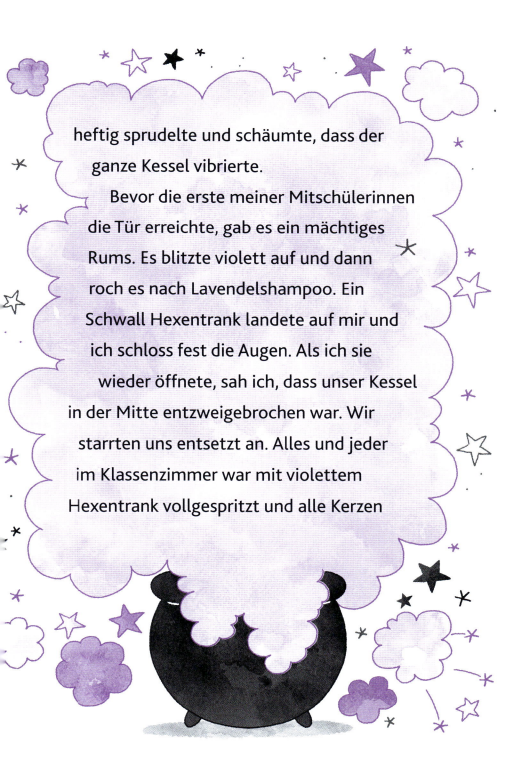

waren erloschen. Frau Spindelwolle machte das Licht an.

„Es ist zu spät!", sagte sie. „Der Schaden ist angerichtet. Zurück zu euren Tischen!"

Alle Hexen im Raum gingen zurück zu ihren Stühlen, sie wirkten besorgt.

Frau Spindelwolle funkelte mich und Karlotta an. Sie war so wütend, dass ihr Gesicht fast genauso violett angelaufen war wie ihre Haare, und ihre Augen waren vor Wut so klein geworden, dass sie aussahen wie zwei winzige schwarze Rosinen. Ich schrumpfte auf meinem Stuhl zusammen.

„Mirabella Zauberstern und Karlotta Spinnennetz", sagte Frau Spindelwolle. „Ihr steckt in GROSSEN SCHWIERIGKEITEN!"

Ich starrte zu Frau Spindelwolle hoch und schluckte. Sie sah *stinkwütend* aus. Stinkwütend und … anders. Irgendetwas an Frau Spindelwolle war seltsam. Es dauerte eine ganze Weile, bis ich begriff, was es war. Ihre Haare! Sie waren viel länger als vorher. Sie reichten ihr fast bis zu den Knien! Und sie wuchsen immer weiter …

VIER

„Meine Haare!", krächzte Frau Spindelwolle am anderen Ende des Raums. „Ich habe sie mir doch gerade erst schneiden lassen!"

„Was passiert mit meinen Haaren?", kreischte jemand anderes.

Frau Spindelwolle griff sich hastig an den Kopf. Sie sah hinunter und schnappte erschrocken nach

Luft, als sie bemerkte, dass ihre Haare inzwischen bis zum Boden gingen und sich hinter ihr auftürmten.

„WAS hast du in den Trank gegeben?", wollte sie wissen, als überall entsetzte Schreie durch den Raum hallten. Mein Kopf fing an zu jucken – und tatsächlich, auch meine Haare fingen an zu wachsen. Und sie wuchsen rasend schnell! Sie kringelten sich bereits am Boden. Hastig griff ich nach dem leeren

Hexentrankfläschchen und hielt es Frau Spindelwolle hin.

„Es war meine Schuld", brab-
belte ich. „Ich hab das hier aus
Versehen reingetan! Ich wollte
eigentlich Einhorn-Horn
verwenden!"

Frau Spindelwolle drehte
das kleine Fläschchen in
ihren Händen und runzelte
die Stirn.

„Ich glaube nicht, dass wir diesen speziellen
Scherzartikel-Trank im Vorratsschrank haben",
sagte sie. „Darf ich erfahren, woher du das hast?"

Ich ließ den Kopf hängen, da ich Karlotta nicht
in noch mehr Schwierigkeiten bringen wollte.
Aber bevor ich mir eine Ausrede einfallen lassen

konnte, verkündete sie mit piepsiger Stimme:
„Ich habe ihn Mirabella gegeben! Ich hab ihn im
Urlaub gekauft!"

„Verstehe", meinte Frau Spindelwolle, klang
dabei allerdings nicht sehr verständnisvoll.

„Ich schwöre, dass ich das nicht mit Absicht
gemacht habe!", verteidigte ich mich. „Es war ein
Versehen! Ich habe die Fläschchen vertauscht,
weil ich sie im Kerzenlicht nicht richtig sehen
konnte!"

Frau Spindelwolle hob eine Augenbraue.

„Magie von zu Hause ist an der Schule nicht
erlaubt", sagte sie. „Du hättest das Fläschchen
vor der ersten Stunde bei mir abgeben und es
dir nach dem Unterricht wieder abholen
sollen."

„Ich weiß", murmelte ich. „Es tut mir wirklich

leid. Ich dachte, es ist in meiner Tasche sicher aufgehoben."

„Frau Spindelwolle!", kam es panisch vom anderen Ende des Raums. „Meine Haare! Sie hören nicht auf zu wachsen."

„Das werden sie bei niemandem tun, Lavinia!", sagte Frau Spindelwolle wütend, als sie sich umdrehte und durch die Masse an Haaren, die jetzt den ganzen Boden bedeckte, zu ihrem Tisch zurückschlurfte. Frau Spindelwolle schossen die Haare Meter um Meter aus dem Kopf. Sie wickelten sich um die Tische und Stühle, als sie sich bewegte. Und sie wickelten sich auch um alle Junghexen im Raum. Überall waren Haare!

„Bitte, Frau Spindelwolle", kam eine andere Stimme. „Können Sie nicht einen Umkehrtrank brauen?"

„Ich fürchte nein, Helia", antwortete Frau Spindelwolle, als sie sich auf die Kante ihres Tischs setzte und die Arme verschränkte. „Ich habe nicht die richtigen Zutaten hier, um einen Umkehrzauber für diese Art von *Scherz*-Trank zu brauen. Wir können nur hier sitzen und abwarten, bis unsere Haare aufhören zu wachsen, und dann …" Sie öffnete eine Schublade an der Seite ihres Tischs und holte eine riesige, glänzende Schere heraus. „Dann bekommen wir alle einen neuen Haarschnitt."

„Ach du funkelnde Sternenschar!", flüsterte ich Karlotta entsetzt zu. „Alle werden uns hassen. Frau Spindelwolle hat nicht die geringste Ahnung vom Haareschneiden!"

„Sie werden uns *wirklich* alle hassen", stimmte Karlotta mir niedergeschlagen zu.

„Aber was, wenn unsere Haare nie wieder aufhören zu wachsen?", rief Helia.

„Was, wenn unsere Haare uns unter sich begraben?", stieß Lavinia hervor. „Ich will nicht unter einem Haufen aus Haaren verschwinden!"

„Wir werden nicht begraben. Der Haarwuchs

geht schon zurück. Wir müssen nur noch ein paar Minuten warten", sagte Frau Spindelwolle.

Wir alle warteten in absoluter Stille. In der Ferne klingelte es zur Mittagspause, aber niemand bewegte sich. Niemand *konnte* sich bewegen! Das Gewicht der Haare, die aus unserem Kopf wuchsen, war zu schwer.

„Okay!", sagte Frau Spindelwolle endlich. „Ich zuerst!" Sie nahm die Schere und maß ihre Haare bis zur Hüfte ab. Dann *schnipp*, *schnapp*. Die Klingen der Schere blitzten im Licht, das durch das Fenster schien, auf.

„Viel besser!", befand Frau Spindelwolle.

„Wenn auch ein bisschen fransig … Wer will als Nächstes?" Sie gackerte, wie es nur eine Hexe konnte, hörte aber sofort auf, als sie die vielen entsetzten Gesichter sah.

„Helia, du kommst zuerst dran!", verkündete sie und bahnte sich einen Weg zu Helias Tisch. Karlotta und ich sahen zu, wie Frau Spindelwolle den ganzen Raum abging. *Schnipp, schnapp, schnipp, schnapp.*

„Sie haben meine Haare zu kurz geschnitten, Frau Spindelwolle!", beschwerte sich Lavinia.

„Meine sind ganz schief geworden!", rief jemand anderes.

Zum Schluss waren nur noch Karlotta und ich übrig.

„In Ordnung", sagte Frau Spindelwolle und warf einen Blick auf die Uhr an der Wand. „Ihr könnt alle in die Mittagspause gehen! Ich kümmere mich noch um diese beiden hier."

Ich spürte, wie Karlotta neben mir zu zittern anfing, während unsere Mitschülerinnen durch die abgeschnittenen Haare am Boden zur Tür schlurften und uns dabei böse anfunkelten.

„Oh, Frau Spindelwolle!", stieß Karlotta hervor und brach in Tränen aus. „Wir wollten diesen ganzen Ärger wirklich nicht!"

„Das wollten wir ganz sicher nicht. Ich schwöre es", sagte ich und hatte nun doch ein bisschen Angst.

„Hmm", sagte Frau Spindelwolle. „Am liebsten würde ich euch zur Strafe einfach ALLE Haare abschneiden!"

„Nein!", schrie Karlotta. „Bitte, Frau Spindelwolle!"

„Leider fürchte ich, dass eure Eltern darüber nicht besonders glücklich wären, deshalb werde ich es nicht tun", erklärte Frau Spindelwolle. „Aber ich *bestehe* darauf, dass ihr zwei hierbleibt und alle Haare zusammenfegt. Ohne Magie."

Ich schnappte nach Luft. „Ohne Magie?"

Frau Spindelwolle starrte mich finster an.

„Natürlich, Frau Spindelwolle", murmelte ich.

„Ihr werdet so lange hierbleiben, bis der Raum

wieder blitzblank ist!", befahl Frau Spindelwolle. „Auch wenn ihr dadurch die Mittagspause verpasst."

„Ja, Frau Spindelwolle", sagten wir gleichzeitig.

„Gut", erwiderte Frau Spindelwolle. „Und jetzt haltet still, ich schneide euch die Haare, bevor ich zum Essen gehe. Wie lang waren deine Haare vorher, Mirabella?"

Zehn Minuten später waren Karlotta und ich allein im Klassenzimmer und sammelten auf Händen und Füßen die Haare zusammen und warfen sie in große Mülltüten, während draußen vor den Fenstern der Wind pfiff.

„Das ist schrecklich", sagte Karlotta. „Ich habe

Hunger und darf nicht in die Mensa, bis wir hier fertig sind. Das ist alles deine Schuld, Mirabella!"

„*Meine* Schuld?", fragte ich. „Du hast mir doch das Hexentrankfläschchen gegeben!"

„Aber *du* hast es in den Kessel geleert!", zischte Karlotta. „Und ich dachte, du freust dich darüber, dass ich dir ein Geschenk aus dem Urlaub mitgebracht habe!"

„Das tue ich auch", sagte ich. „Ich bin gemein, tut mir leid. Du hast recht, es *ist* meine Schuld."

„Du hast versprochen, dass wir dieses Jahr keinen Ärger bekommen, und nun schau uns an!", sagte Karlotta.

„Ich weiß", sagte ich und

ließ den Kopf hängen. „Es tut mir leid. Es war aber ein Versehen. Ich wollte die Zutaten wirklich nicht verwechseln."

Karlotta antwortete nichts darauf und ich wusste, dass sie immer noch gekränkt war. Ich hasste es, wenn wir uns stritten.

„Wir können uns mein Mittagessen teilen", sagte ich und holte es aus meiner Schultasche. Ich gab Karlotta eins der Brote und biss von dem anderen ab. Mhmm, Feenhonig! Papa packt immer das Mittagessen von Wilbur und mir. Seine Brote sind die besten!

„Das ist aber ziemlich süß", beschwerte sich Karlotta und rümpfte die Nase. Karlotta ist eine richtige Hexe und weiß den leckeren Geschmack von Feenessen nicht zu schätzen. Ich biss noch mal genüsslich von meinem Brot ab.

Knirsch.

Was war das? Da war irgendwas in meinem Mund, das nicht wie Honig schmeckte. Und es fühlte sich auch ganz anders an. Es war knusprig und haarig und …

„AAAAAAAAH!", schrie ich und spuckte den Bissen auf den Boden. Ich erkannte lange, dürre Beinchen! Und einen haarigen Körper!

„AAAAAAAH!", schrie ich erneut und trank einen Schluck Wasser aus meiner Flasche, um mir damit den Mund auszuspülen. Mir war auf einmal unglaublich schlecht.

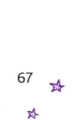

"Was ist los?", fragte Karlotta. "Das ist doch nur eine Spinne. Die sind lecker!"

"Die sind … EKELHAFT!", sagte ich, während mein Gesicht ganz heiß wurde. Ich konnte nicht glauben, dass ich gerade eine von Mamas knusprigen Spinnen im Mund hatte! Das war SCHRECKLICH.

"Ich wette, Wilbur hat sie heimlich auf mein Brot getan!", sagte ich. "Um es mir heimzuzahlen!"

Auf einmal wurde mir bewusst, wie übel Wilbur heute Morgen beim Frühstück gewesen sein musste, als er die eklige Spinne auf seinem Toast entdeckt hatte, und ich bekam ein schlechtes Gewissen.

Ich beschloss, mich bei ihm zu entschuldigen

und es wiedergutzumachen, wenn ich zu Hause war.

„Ich wünschte, auf meinem Brot wäre auch eine Spinne!", sagte Karlotta sehnsüchtig, als sie die obere Scheibe hochhob, um nachzusehen. „Nein, keine Spinne! Nur, süßer, klebriger Feenhonig …"

Wir hatten nur noch ein paar Minuten unserer Mittagspause übrig, als wir endlich mit dem Saubermachen fertig waren. Immerhin war Karlotta wieder besser gelaunt.

„Ich weiß, dass du nicht absichtlich den falschen Trank genommen hast, Mirabella", sagte sie, als wir auf den Schulhof gingen. „Es tut mir leid, dass ich dir die Schuld an allem gegeben habe."

„Schon okay", sagte ich und hakte mich bei ihr unter. „Ab jetzt werde ich ganz vorsichtig sein, um heute nicht noch mehr Ärger zu machen."

„Ja ... Warte damit zumindest, bis du zu Hause bist!" Karlotta grinste.

FÜNF

Frau Spindelwolle wartete schon mit dem Rest der Klasse auf dem Schulhof auf uns. Unsere letzte Stunde für heute stand an. Flugunterricht!

„Es ist sehr windig, meine Hexen", sagte Frau Spindelwolle, als sie ihren Finger abschleckte und in die Luft hielt. „Daher gehen wir in den Wald und üben unsere Loopings nah am Boden. Sonst

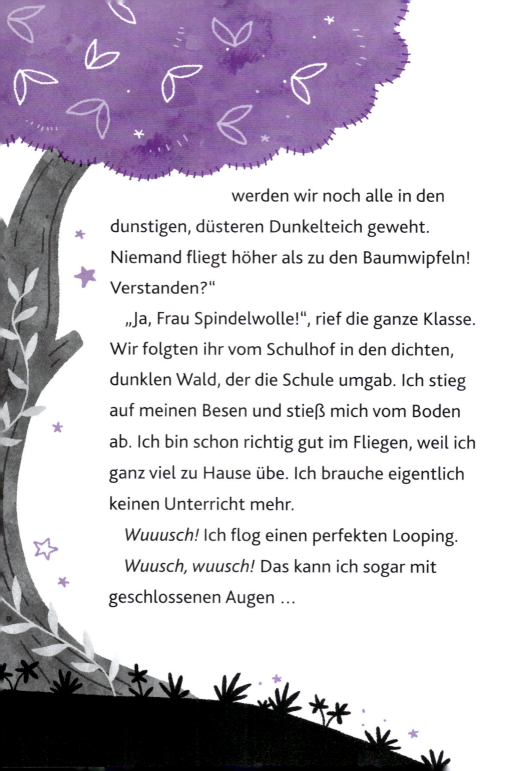

werden wir noch alle in den dunstigen, düsteren Dunkelteich geweht. Niemand fliegt höher als zu den Baumwipfeln! Verstanden?"

„Ja, Frau Spindelwolle!", rief die ganze Klasse. Wir folgten ihr vom Schulhof in den dichten, dunklen Wald, der die Schule umgab. Ich stieg auf meinen Besen und stieß mich vom Boden ab. Ich bin schon richtig gut im Fliegen, weil ich ganz viel zu Hause übe. Ich brauche eigentlich keinen Unterricht mehr.

Wuuusch! Ich flog einen perfekten Looping.

Wuusch, wuusch! Das kann ich sogar mit geschlossenen Augen …

KRACH!

„Hey, Mirabella!", schrie Lavinia, als wir beide auf den Boden zupurzelten. „Pass auf, wo du hinfliegst!"

„Tut mir leid!", sagte ich und flog von ihr weg. Aber jetzt war ich zu nah an jemand anderem. Es gab nicht genug Platz für alle, um so nah am Boden Loopings fliegen zu können. Ich stieg mit meinem Besen ein bisschen höher. Ich würde nicht über die Baumwipfel hinausfliegen, sondern auf derselben Höhe bleiben. So brach ich die Regeln nicht, oder? Als ich höher stieg, spürte ich, wie der Wind an mir zog. Aber ich bin stark und eine sehr gute Fliegerin.

„Juhuuuu!" Ich flog einen perfekten Looping, während der Wind durch meine Haare fegte. Und noch einen und noch einen. Ich liebe Loopings!

„Mirabella!", kam eine Stimme von unten und ich merkte, dass Karlotta zu mir aufsah.

„Du fliegst zu hoch!", schrie sie. „Komm ein bisschen weiter runter!"

„Alles gut!", rief ich zurück. „Frau Spindelwolle

ist es noch nicht mal aufgefallen! Sie ist hinter dem Baum dort drüben und hilft Helia!"

„Darum geht es nicht!", zischte Karlotta von unten. „Du hast versprochen, keine Regeln mehr zu brechen!"

„Ich breche ...", setzte ich an.

Aber plötzlich erwischte mich eine heftige Windböe und wehte mich zur Seite, über die Baumwipfel hinweg und direkt auf den dunstigen, düsteren Dunkelteich zu.

„Oh oh", sagte ich, während ich mich an meinen Besen klammerte und versuchte, wieder hinunter zwischen die Bäume zu fliegen. Aber Frau Spindelwolle hatte

recht gehabt. Der Wind war wirklich ziemlich heftig und ich wurde hin und her geworfen, bis eine starke Windböe mich plötzlich vom Besen schubste. Ich schaffte es gerade noch, mich mit einer Hand am Besenstiel festzuhalten. Da hing ich nun für ein paar Sekunden und schwang im Wind vor und zurück.

„Oh oh", sagte ich erneut, als mir der Hexenhut vom Kopf geweht wurde. Bestürzt sah ich zu, wie er über die Baumwipfel hinwegstrudelte und -trudelte, bis er mit einem leisen Plopp im dunstigen, düsteren Dunkelteich landete. Ich musste ihn zurückholen! Frau Spindelwolle würde sonst stinksauer sein! Aber sie wäre noch viel wütender, wenn sie wüsste, dass ich über den Baumwipfeln flog. Nur mit großer Anstrengung schaffte ich es, wieder auf meinen Besen zu klettern und ihn nach unten zu richten. Schlitternd landete ich auf dem Waldboden, weit weg von meinen Mitschülerinnen. Durch die Bäume hindurch hörte ich, dass sie immer noch Loopings übten. Hoffentlich hatte Frau Spindelwolle mein Verschwinden noch nicht bemerkt.

So schnell ich konnte rannte ich zum Dunkelteich. Ich würde nur ganz schnell meinen Hut holen und dann zur Klasse zurückgehen. Violetta flatterte neben mir her und stieß ängstlich Rauchwolken aus ihrer Schnauze.

„Kannst du vielleicht in die Mitte des Teichs fliegen und den Hut holen?", schlug ich vor. „Es

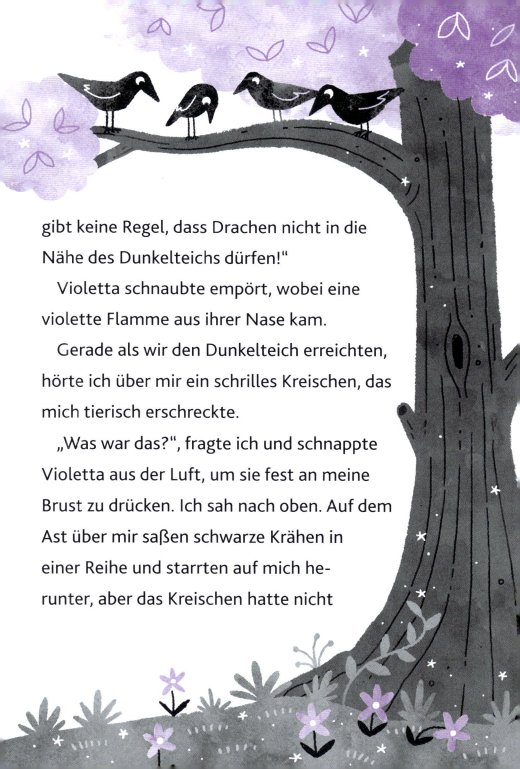

gibt keine Regel, dass Drachen nicht in die Nähe des Dunkelteichs dürfen!"

Violetta schnaubte empört, wobei eine violette Flamme aus ihrer Nase kam.

Gerade als wir den Dunkelteich erreichten, hörte ich über mir ein schrilles Kreischen, das mich tierisch erschreckte.

„Was war das?", fragte ich und schnappte Violetta aus der Luft, um sie fest an meine Brust zu drücken. Ich sah nach oben. Auf dem Ast über mir saßen schwarze Krähen in einer Reihe und starrten auf mich herunter, aber das Kreischen hatte nicht wie das einer Krähe geklungen. Auf einmal fiel mir zwischen den Zweigen hindurch eine Bewegung am Himmel auf und mein Herz schlug mir bis zum Hals. Es war Karlotta! Sie wurde vom Wind über die Bäume geweht, in dieselbe Richtung wie mein Hut. Direkt auf den Dunkelteich zu!

„O nein!", rief ich. „Karlotta, bleib, wo du bist!" Ohne nachzudenken, sprang ich wieder auf meinen Besen und stieg, so schnell ich konnte, in die Höhe.

Aber Karlotta schaffte es nicht, an einer Stelle zu bleiben. Der Wind war zu stark. Er hatte sie vom Besen geschubst und sie klammerte sich mit beiden Händen am Stiel fest, während sie durch die Luft segelte und auf den dunstigen, düsteren Dunkelteich zuschlingerte. Jetzt, da ich wieder

über den Baumwipfeln war, riss der Wind auch an mir.

„Karlotta!", rief ich, während ich krampfhaft versuchte, auf meinem Besen zu bleiben. „Gib mir deine Hand!"

„Ich kann nicht!", schrie Karlotta, als sie von mir weg- und auf den Dunkelteich zugeweht wurde. „Ich kann dich nicht erreichen!"

Ich verlor langsam selbst die Kontrolle über meinen Besen.

„Violetta, bitte flieg schnell zurück und hol Frau Spindelwolle!", rief ich. Ich duckte mich tief über meinen Besen und schlang meine Arme darum, um nicht herunterzufallen. Ich schloss fest die Augen, während ich in dieselbe Richtung wie Karlotta wirbelte. Und dann *platsch!*, hörte ich, wie sie im Wasser landete!

„Mach dir keine Sorgen, Karlotta, ich komme!", schrie ich.

Platsch!, tauchte ich nach ihr ein.

Ich schnappte nach Luft, bevor mein Kopf im dunklen, düsteren Wasser verschwand. Es war eiskalt und ich spürte schleimiges Teichgras, das sich unter meinen Füßen hin und her wand. Ich biss die Zähne zusammen und stieß mich mit den Beinen ab, um wieder an die Oberfläche zu kommen. So schnell ich konnte, schwamm ich zu meiner besten Freundin, die ganz in

meiner Nähe strampelte und um sich schlug. Ich schlang meinen Arm um ihre Brust und zog sie mit aller Kraft ans Ufer, wo wir uns an einer Baumwurzel festhielten und heftig keuchten.

„Was hast du dir nur dabei gedacht?", fragte ich. „Du hättest nicht über den Baumwipfeln fliegen sollen!"

„Ich bin dir gefolgt", sagte Karlotta. „Ich habe mir Sorgen gemacht, dass du weggeweht wirst! Was hast du dir nur dabei gedacht, mir in den Dunkelteich zu folgen?"

„Ich konnte dich doch nicht ertrinken lassen!", sagte ich. „Ich weiß, dass du nicht schwimmen kannst."

In diesem Moment war ich unendlich froh darüber, zur Hälfte eine Fee zu sein. Feen lieben die Natur und am liebsten schwimmen sie in

86

wilden Flussströmungen. Dad hatte mir das Schwimmen beigebracht, als ich noch ganz klein war.

Wir lächelten uns an. Gerade als wir uns am Ufer hochzogen, kam zwischen den Bäumen auch schon Violetta zum Vorschein und hinter ihr Frau Spindelwolle auf ihrem Besen.

„Mirabella Zauberstern und Karlotta Spinnen-netz!", sagte Frau Spindelwolle wütend. „Was zur *Fledermaus und Spinne* ist hier los?"

„Es ist alles allein meine Schuld", gab ich zu. „Wirklich! Bitte schimpfen Sie nicht mit Karlotta, sie wollte mich nur retten."

„Mirabella hat MICH gerettet!", sagte Karlotta. „Ich bin heilfroh, dass Mitternacht nicht auf meinem Besen saß."

„Aber ich bin zuerst über die Baumwipfel geflogen", sagte ich. „Frau Spindelwolle, es war wirklich meine Schuld. Ich bin ein bisschen zu hoch
geflogen und wurde weggeweht. Karlotta hat nur
versucht, mich zu retten. Und dann wurde sie
auch weggeweht und …"

Frau Spindelwolle funkelte uns aus ihren
schwarzen Augen an.

„Es ist völlig egal, wer was getan hat", meinte
sie. „Ihr bekommt beide Ärger! Mirabella, du
hättest in der Nähe des Waldbodens bleiben
sollen! Karlotta, du hättest zu mir kommen sollen, anstatt Mirabella hinterherzufliegen!"

„Dafür war keine Zeit", sagte Karlotta kraftlos.

„Hmm", sagte Frau Spindelwolle. „Gut, ich
muss euch dafür loben, dass ihr versucht habt,
euch gegenseitig zu retten – das war sehr mutig.

Und es war richtig, dass du Violetta geschickt hast, um mich zu holen, Mirabella. Aber Tatsache ist nun mal, dass keine von euch beiden sich heute an die Regeln gehalten hat. Vor allem du nicht, Mirabella!"

„Ich weiß", sagte ich schuldbewusst. „Aber es gibt einfach so viele Regeln zu beachten!"

„Diese Regeln gibt es aus guten Gründen", erklärte Frau Spindelwolle. „Wenn du mir diesen Hexentrank vor Unterrichtsbeginn gegeben hättest, dann hättest du heute Morgen in Hexentränke keinen Fehler gemacht, und dieser Schlamassel wäre nie passiert. Und wenn du

auf meine Anweisung gehört hättest und nicht höher als zu den Baumwipfeln geflogen wärst, dann wäre keine von euch im Teich gelandet."

„Ich weiß", gab ich zu. „Es tut mir leid."

Dann brach ich in Tränen aus. Ich konnte nicht anders.

„Ich weiß, ich sorge manchmal *absichtlich* für Ärger", sagte ich schluchzend. „Aber heute wollte ich wirklich nicht unartig sein! Und trotzdem ist alles schiefgegangen. Ich hatte sogar eine Spinne auf meinem Pausenbrot!"

Frau Spindelwolle legte tröstend eine Hand auf meine Schulter.

„Es sind heute ja zum Glück keine bleibenden

Schäden entstanden. Aber denk daran, Regeln sind zu eurem Schutz da. Du solltest sie also in Zukunft besser befolgen!"

„Ich werde mich mehr bemühen", versprach ich.

„Gut", sagte Frau Spindelwolle. „Ich nehme eure Besen, und ihr zwei geht rein und trocknet euch ab."

Karlotta und ich sahen uns überrascht an.

Kamen wir etwa ohne eine Strafe davon? Wir entfernten uns langsam von Frau Spindelwolle und drehten uns in Richtung Schule.

„Und ihr werdet beide den Rest der Woche in der Mittagspause nachsitzen", sagte Frau Spindelwolle hinter uns. „Ihr werdet nach Hexentränke alle Kessel saubermachen. Ohne Magie!"

„Ich wusste es", flüsterte Karlotta.

SECHS

Zusammen gingen wir durch den Wald zurück zur Schule.

„Es tut mir leid, dass wir heute meinetwegen Ärger bekommen haben", sagte ich. „Nichts davon wäre passiert, wenn ich mich an die Regeln gehalten hätte."

„Schon gut", sagte Karlotta. „Ich gehe lieber

mit dir zum Nachsitzen, anstatt mit Lavinia und Helia abhängen zu müssen! Ich werde aber meine Mama bitten, mir leckeres Essen fürs Nachsitzen in der Mittagspause einzupacken. Ganz viele Spinnenbrote!"

„Igitt!", rief ich.

Zum Glück hatte sich der Wind bis Unterrichtsende ein bisschen beruhigt und ich konnte auf dem Besen nach Hause fliegen. (Manchmal, wenn das Wetter schlecht ist, muss ich warten, dass Mama und Papa mich mit dem Auto abholen.) Ich winkte Karlotta zum Abschied, dann stieß ich mich vom Boden ab, stieg über die Bäume hinweg und flog zum Waldrand und

weiter zur Stadt. Während ich flog, bemerkte ich in der Ferne einen kleinen Fleck am Himmel, der aus der anderen Richtung auf mich zukam. Es war Wilbur!

„Hallo!", sagte ich, als er näher kam.

„Hallo", antwortete Wilbur.

Wir flogen lange schweigend nebeneinander.

Wilbur hatte offenbar keine große Lust, mit mir zu reden.

„Ich mach dir etwas Leckeres zu essen, wenn wir nach Hause kommen!", sagte ich nach ein paar Minuten Stille. „Eine große Schüssel Eis mit so viel Feenleckereien, wie ich nur finden kann!"

„Nein danke", sagte Wilbur. „Ich trau deinem Essen nicht mehr!"

„Ich verspreche, dass ich diesmal keine Spinne reintun werde!", sagte ich, als wir uns unserem Haus näherten und zur Eingangstür hinunterflogen.

„Nein, das ist schon okay", meinte Wilbur. „Ich mach mir mein Essen selbst."

„Aber ich *will* dir etwas zu essen machen!", sagte ich und wurde langsam ein bisschen sauer. „Ich will es wiedergutmachen, dass ich dir die

Spinne auf deinen Toast gegeben habe. Du solltest froh sein, dass *ich* nicht so wütend darüber bin, dass du eine Spinne auf *mein* Pausenbrot gelegt hast!"

Mama öffnete die Tür. „Hallo, meine Lieben!"

„Ich hab keine Spinne auf dein Pausenbrot gegeben!", sagte Wilbur. „So was würde ich nie tun!"

„Würdest du nicht?", fragte ich.

„Natürlich nicht!", erwiderte Wilbur.

Er drängte sich an mir vorbei ins Haus und mir fiel auf, dass Mama ein bisschen verschlagen dreinschaute.

„MAMA!", rief ich.

Mama biss sich auf die Lippe.

„Es tut mir leid, Mirabella", sagte sie. „Aber ich konnte nicht widerstehen, nachdem du Wilbur heute Morgen diesen Streich gespielt hast. Du weißt, dass ich solche

Scherze liebe. Und Spinnenbrote sind *wirklich* lecker!"

„Aber das war nicht lustig", sagte ich verletzt. „Ehrlich, Mama, ich hatte einen RICHTIG schlechten Tag! Zuerst hab ich aus Versehen allen die Haare wachsen lassen und dann bin ich aus Versehen mit Karlotta im dunstigen, düsteren Dunkelteich gelandet!"

„Oh, Mirabella, das klingt, als hättest du mir ganz viel zu erzählen", sagte Mama mit hochgezogenen Augenbrauen. „Es tut mir leid, dass du aufgebracht bist. Du hast recht, es war falsch von mir, die Spinne auf dein Brot zu geben. Und ich verspreche, ich werde es nie wieder tun. Aber ich hoffe, du tust so was auch nicht mehr. Also, lass es mich wiedergutmachen. Ich bereite dir und Wilbur einen riesigen Eisbecher zu und du erzählst mir von deinem Tag. Na, wie klingt das?"

„Gut", schniefte ich. „Aber ich weiß nicht, ob ich dir trauen kann."

„Natürlich kannst du das", versprach Mama und zog mich in eine feste Umarmung.

„Okay, aber *ich* will den Becher für Wilbur machen", sagte ich und folgte Mama in die Küche.

Wir holten uns große Glasschüsseln und füllten sie mit Eiscreme, Karamellsoße, Streuseln und gezuckerten Rosenblättern, während ich Mama von meinem Tag erzählte.

„Wie lange, sagst du, waren Frau Spindelwolles Haare?", fragte Mama erstaunt. „Aber ich schätze, eine Woche Nachsitzen für den Flugschlamassel *ist* gerechtfertigt! Und was für ein besonderer und mutiger Drache unsere Violetta doch ist!"

Danach trug ich voller Freude die beiden Eisbecher ins Wohnzimmer, wo Wilbur sich seine liebste Zauberer-Spielesendung anschaute.

„Sieh mal, Wilbur", sagte ich. „Den hab ich für dich gemacht!"

Wilbur musterte misstrauisch den Eisbecher, den ich ihm hinhielt , aber seine Augen wurden immer größer. Ich wusste, dass er einem Feeneisbecher nicht widerstehen konnte.

„Keine Spinnen?", fragte er.

„Keine Spinnen!", sagte ich. „Versprochen!"

Wilbur nahm den Becher und ich setzte mich neben ihn aufs Sofa, wo wir gleichzeitig anfingen, unser Eis zu löffeln.

„Mhmm", sagte Wilbur. „Das ist lecker! Danke, Mirabella."

„Gern geschehen, Wilbur. Und ich verspreche, ich werde keine Spinnen mehr in deinem Essen verstecken."

Ich lächelte glücklich. Es fühlte sich schön an, anderen auch mal etwas Gutes zu tun. Von jetzt an, beschloss ich, würde ich brav sein und mich immer an die Regeln halten.

Na gut, *fast* immer.

BLÄTTERE DIE SEITE UM
FÜR EIN WENIG
HEXENHAFT-FRECHEN UNFUG!

ZERDRÜCKTE SPINNENKEKSE!

Mirabellas Mama ist eine Hexe und isst unglaublich gern Hexenessen wie zum Beispiel mit Spinnen belegtes Toastbrot. Warum beeindruckst du deine hexen- und zauberhaften Freundinnen und Freunde nicht mit diesen leckeren zerdrückten Spinnenkeksen?

(Denk daran, immer eine erwachsene Person um Hilfe zu bitten, wenn du etwas backen willst.)

Zutaten

- ★ 300 g Mehl
- ★ 150 g ungesalzene Butter
- ★ ¼ TL Salz
- ★ 150 g Kristallzucker
- ★ 1 TL Vanilleextrakt
- ★ 1 Ei
- ★ Zwei große Handvoll Rosinen (das werden die zerdrückten Spinnen)
- ★ 2 TL Puderzucker
- ★ einen Schluck Milch

Dafür brauchst du:

- ★ Eine Rührschüssel
- ★ Einen Kochlöffel
- ★ Ein Backblech
- ★ Backpapier
- ★ Ein Nudelholz
- ★ Plätzchenausstecher
- ★ Frischhaltefolie

ZUBEREITUNG:

1. Wasch dir die Hände.

2. Gib Mehl, Salz und Kristallzucker in eine große Rührschüssel.

3. Füge die Butter hinzu und knete sie mit deinen Fingern unter, bis die Masse aussieht wie Semmelbrösel.

4. Schlag das Ei auf und rühre es zusammen mit dem Vanilleextrakt unter die trockenen Zutaten.

5. Knete die Masse zu einem glatten Teig – gib einen Schluck Milch dazu, wenn der Teig zu trocken aussieht.

6. Füge die Rosinen hinzu und knete alles zusammen.

7. Wickle den Teig in Frischhaltefolie und lege ihn für 15-20 Minuten in den Kühlschrank.

8. Heize den Backofen auf 180 °C (160 °C Umluft) vor und lege Backpapier auf ein Backblech.

9. Nimm den Teig aus dem Kühlschrank und rolle ihn auf einer bemehlten Oberfläche etwa 5 mm dick aus. Stich mit den Ausstechern die Plätzchen aus.

10. Lege deine Plätzchen auf das Backblech und gib sie für 15 Minuten in den Ofen.

11. Wenn sie eine goldbraune Farbe haben, sind sie fertig. Nimm die Plätzchen aus dem Ofen und lass sie abkühlen.

12. Sobald sie ausgekühlt sind, kannst du etwas Puderzucker darüberstreuen.

MAGISCHE TIERE!

Hexen haben oft besondere Haustiere – tierische Helfer, die immer an ihrer Seite sind. Mirabella hat einen kleinen Drachen namens Violetta und Karlotta hat ein Kätzchen namens Mitternacht.

Beantworte diese Fragen, um herauszufinden, welches hexenhafte Tier zu dir passt.

Heute ist dein erster Schultag: Was machst du?

A. Du huschst unbemerkt ins Klassenzimmer und schätzt leise deine Mitschülerinnen und Mitschüler ein.

B. Du stürmst hinein und kannst es kaum erwarten, endlich etwas zu lernen.

C. Du stürzt ins Klassenzimmer und erzählst deinen neuen Freundinnen und Freunden alles über dich.

D. Du schleichst dich heimlich rein, setzt dich an deinen Tisch und streckst dich erst mal ausgiebig.

Im Sportunterricht machst du bei einem Wettrennen mit. Wie gehst du es an?

A. Du lässt dir Zeit, kommst aber letztendlich immer ins Ziel. Und das auch noch mit Stil.

B. Du rennst mit voller Geschwindigkeit los, lässt dich aber von einem Blatt ablenken, das vom Wind herumgewirbelt wird, und verlässt die Laufbahn.

C. Du sprintest los und lässt dich von niemandem aufhalten.

D. Du machst dich an der Startlinie erst hübsch, bevor du losrennst. Du bist schließlich anmutig und schnell.

Heute ist Elternabend! Was werden deine Lehrerinnen und Lehrer über dich sagen?

A. Du bist intelligent, ruhig und sehr aufmerksam.
B. Du bist der Klassenclown und lässt dich leicht ablenken.
C. Du hast sehr starke Meinungen und keine Angst davor, sie mit der Klasse zu teilen.
D. Du bist freundlich, selbstbewusst und sehr gelassen, wenn es um Hausaufgaben geht.

Ergebnisse

Überwiegend A

Dein hexenhaftes Haustier ist ein Gecko! Mit seinen wissbegierigen Augen und dem Talent, mit seiner Umgebung zu verschmelzen, bemerkt dein tierischer Helfer oft Dinge, die anderen entgehen.

Überwiegend B

Dein hexenhaftes Haustier ist ein Hund! Trotz seiner Verspieltheit und unbändigen Energie ist dein tierischer Helfer ein treuer Freund, der niemals von deiner Seite weicht.

Überwiegend C

Dein hexenhaftes Haustier ist ein Drache! Dein Drache hat dasselbe hitzige Gemüt wie du und zusammen seid ihr nicht aufzuhalten.

Überwiegend D

Dein hexenhaftes Haustier ist ein Kätzchen! Dein tierischer Helfer ist wendig und anmutig. Er sitzt gern auf deiner Schulter und hält dich kuschelig warm, wenn es draußen kalt ist.

WÖRTERSUCHE!

Mirabella hat die folgenden Wörter in diesem Wörtersuch-Rätsel versteckt. Nutze deinen hexisch-feenhaften Spürsinn, um sie alle zu finden!

Mirabella

Karlotta

Hexe

Violetta

Mitternacht

Magie

Fee

A	G	I	H	E	X	E	H	Z	Q	L
C	P	O	Y	E	R	K	J	E	O	I
W	K	D	G	A	S	Y	U	E	P	Z
A	Q	K	A	R	L	O	T	T	A	R
J	D	A	B	N	X	K	E	U	C	M
G	L	J	A	S	R	I	V	G	K	F
M	I	T	T	E	R	N	A	C	H	T
I	S	Y	D	O	Z	Q	M	F	S	I
R	E	V	A	H	T	J	S	P	Y	R
A	C	R	M	I	X	N	V	O	A	Y
B	U	F	L	A	M	D	E	S	J	F
E	F	T	V	H	G	A	U	E	C	S
L	K	A	O	G	M	I	G	S	O	H
L	Q	W	N	U	F	E	E	I	P	Y
A	A	S	V	I	O	L	E	T	T	A
M	G	B	M	K	E	A	H	J	X	S

Hier ist Platz für deine hexischen Ideen!

HARRIET MUNCASTER

Harriet Muncaster, das bin ich!
Ich bin die Autorin und Illustratorin von
Mirabella Hexenfee. Ich liebe alles Klitzekleine,
alles sternenhaft Funkelnde und alles,
was glitzert.

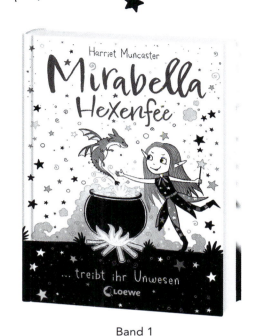

Band 1
ISBN 978-3-7432-1367-8

Mirabella liebt es, Unfug zu treiben. Freche Zaubersprüche und Ideen für magische Tränke fallen ihr von ganz allein ein – wie es sich für eine richtige Hexe gehört. Liebliche Feenmagie findet sie hingegen viel zu langweilig. Doch als eine große Feier bevorsteht, muss Mirabella ihrer Familie versprechen, sich von ihrer feenhaften Seite zu zeigen. Das kann nicht so schwer sein, oder?

DEIN Loewe Newsletter

- Vorab-Leseproben ☺
- Exklusive Gewinnspiele
- TOP-Neuerscheinungen

Mirabella Hexenfee

FREUT EUCH SCHON BALD AUF EIN NEUES ABENTEUER